W9-CRQ-339

伊索寓言

陈永镇 画

贵州出版集团公司 ▪ 贵州人民出版社

葡萄是酸的

　　狐狸又饿又渴，正巧，他看见不远处的葡萄架上挂满了成熟的葡萄，高兴地说："这葡萄多圆多大啊，让我摘下来，美美地吃一顿。"说着，口水流了出来。

　　他使劲儿向上跳，差点儿碰到葡萄。他再使劲儿一跳，又差一点点碰着。他跳呀跳呀，跳到最后，一点儿力气都没有了。他望着葡萄，毫无办法，唉声叹气地说："唉！这葡萄准是酸的，还是留给那些嘴馋的鸟儿去吃吧。"

聪明的山羊

　　一只山羊在陡峭的山崖上吃草。狼看见了，他知道自己爬不上去，便假装好心，对山羊说："喂，朋友，那里太危险！你不小心，会掉下来摔死的！快下来吧，到山崖下面来吃草吧！"

　　山羊笑着说："哼哼，你是不是肚子饿了呀？很想吃我吧？呵呵，我才不上当呢！"

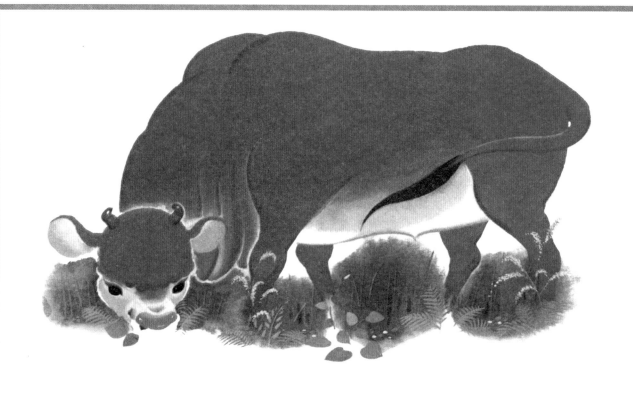

吹牛的青蛙

在一片小小的水塘里，住着一只青蛙。他一天到晚呱呱叫，说自己个头最大，谁都比不上他。

一天，一只公牛来到水塘边喝水，青蛙见了，吃了一惊。不过，他心里一点儿都不服气。青蛙对公牛喊："喂，你以为自己很大吗？别高兴得太早啦，我的肚皮鼓起来，比你还大呢！"

公牛好不容易才找到这个吹牛的家伙，他摇了摇头。

"你不信？等着瞧吧！"青蛙使劲儿把肚子鼓起来。

公牛摇着头，转身走了。青蛙还在拼命地吹着肚皮，肚子越来越大，结果把肚皮吹破了。

乌龟飞上天

　　乌龟觉得，每天在地上爬呀爬，太没意思了。要是能在天空中飞来飞去，那该多好。

　　他把自己的想法告诉了鹰，请鹰帮忙。鹰说："可是，你不会飞啊！"

　　"没关系，"乌龟说，"我见过小鸟如何飞。虽然我没有翅膀，但是我可以用四只脚在天空中划动，就像在水里一样。只要你带我到天上，和云一样高，我就能像小鸟一样飞翔了。我一定会好好谢你的，送给你很多珍珠。"

　　鹰想了想，答应了。他带着乌龟飞到云里，说："好了，你像小鸟一样飞翔吧！"

　　乌龟从云里掉出来，直冲向地面。他觉得自己像一块石头，越来越重；无论他多么拼命地划动四肢，都没有用。只听砰的一声，乌龟的壳摔碎了。

大鱼和小鱼

　　大鱼特别喜欢夸耀自己。一天，他在浅海里碰到了一条小鱼，他对小鱼说："我从岸边游到大海的深处，谁见了，都害怕我，躲得远远的；因为我个儿大，力气也大。你们小鱼呢，只有被捉的份儿，永远被人瞧不起。"

这时，一张渔网从他们上面撒下来，
把大鱼小鱼都网住了。大鱼拼命挣扎，而
小鱼从网洞钻出去，不慌不忙地游走了。

乌鸦喝水

一只乌鸦口渴了，很想喝水。他看见一个玻璃瓶，里面有半瓶水，就飞了过去。

可是瓶口又细又长，乌鸦伸长了脖子也喝不到水。怎样才能喝到水呢？他想来想去，想到一个好主意。

乌鸦用嘴衔来一颗颗小石子，扔进玻璃瓶里；小石子一颗颗沉到了瓶底，水渐渐地升了上来。石子越来越多，水面越升越高。

终于，乌鸦开心地喝到了瓶子里的水。

青蛙和老鼠

老鼠住在陆地上，青蛙住在水里，他俩是好朋友。

一天，青蛙请老鼠到自己家里玩。走到水边，老鼠担心地说："我不太会游泳啊！"

"没关系，"青蛙说，"我用草把咱俩的脚绑在一起，我拉着你游。"

他们的脚绑在一起后，扑通，青蛙跳进了水里。青蛙拖着老鼠，一边游一边快活地说："地上又干又热，水里多凉快啊！"

"好朋友，请放开我吧！我受不了啦！"老鼠吓坏了，他恳求青蛙，"快放我到岸上去吧！不然，我会淹死的。"

"别慌，在水里多待一会儿，

你就会习惯的。"青蛙拖着老鼠在水里玩得正起劲儿，他不肯放开老鼠。

"我快淹死了，求求你，放开我吧！"老鼠拼命挣扎着，呼喊着。不一会儿，老鼠淹死了，浮到水面上。

这时，飞来一只老鹰，他抓起死老鼠，青蛙也被拉了上去。谁让青蛙和老鼠的脚绑在一起呢。

青蛙大叫："你要的是老鼠，就放了我吧！"

"你俩我都要，"老鹰说，"活青蛙，味道更鲜美！"

最后，青蛙和老鼠都被老鹰吞进了肚子。

老鼠和猫

一群老鼠搬到一间空房子里住。

猫知道了，高兴地说："呵呵，我可以饱饱地吃几顿了。"

一连几天，猫每顿吃的都是老鼠。

一只老鼠说："我们兄弟姐妹，让猫吃掉了许多，这可怎么办呢？"

"有什么办法呢？"另一只老鼠说，"猫太厉害了，我们打不过她。"

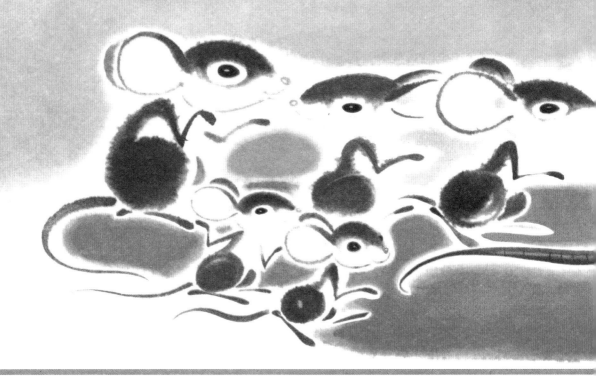

之后，猫等了三天，都没有发现老鼠出来，决定想办法骗老鼠出洞。猫趴在墙角，后脚并在一起，头枕在前爪上，静悄悄，一点儿响动都没有。

一只小老鼠说："出去吧，那只猫准是饿死了！"

最老的老鼠摇摇头，从洞口探出一点点脑袋，对猫说："我们知道你在装死，你不走，我们是不会出洞的。"

猫等得很不耐烦，一生气就走开了。

鹿

一天，鹿到水池边喝水，从水中看到了自己的倒影，洋洋得意地说："啊，我长得多美啊！特别是那对像树杈一样的角，多坚固，多漂亮。"

他又低头一瞧，很不高兴地说："唉，只是这四条又瘦又长的腿，多难看呀！"

这时，出现了一头狮子，鹿拔腿就跑，一直向森林里跑去。鹿跑得快极了，狮子怎么也追不上他。当鹿就要脱险的时候，他头上美丽的角被树枝钩住了，不管他如何挣扎，也摆脱不了。结果，狮子赶上来，把鹿抓住了。

一把斧子

一对朋友在路上走着，其中一个人看见地上有把斧子，就捡了起来。

他对同伴说："你瞧，我捡到了一把斧子。"

同伴说："不是你捡到的，是咱俩捡到的。这把斧子是咱俩的。"

这对朋友走了没多远，后面有人追上来，要讨回斧子。

拿斧子的人说："现在咱俩完蛋了。"

同伴说："不，不是咱俩完蛋了，是你完蛋了。当初捡到斧子，得了便宜时，你说是你一个人的，没我的份儿；现在倒霉了，还是你一个人去承担，我不想沾你的光。"

自找苦吃

　　一个人请求树林给他一点点木头做斧子柄。树林说："这么点点小事，好办！你拿吧。"

　　那人把斧子柄装好后，就把树林里的树木都砍倒了。当树木哗啦啦倒下来的时候，他们齐声叹气说："唉，我们真是自找苦吃啊！"

自私的朋友

从前，两个朋友一起去旅行。走着，走着，忽然蹿出一只熊。其中一个人，连忙爬到树上，躲了起来。

另一个人来不及逃走，不过，他听说熊不吃死的动物，便马上躺在地上，一动不动地装死。熊走到他跟前，用鼻子在他身上闻来闻去。他屏住呼吸，过了一会儿，熊就走开了。

熊走远了，躲在树上的人跳下来，问他的伙伴："熊刚才跟你说什么了？"

伙伴说："熊告诉我，遇到危险时，只顾自己，不顾别人的人，是不能做朋友的。"

披着狮子皮的驴

　　一只披着狮子皮的驴，在草原上跑来跑去，到处吓唬小动物。

　　一天，他碰到一只狐狸，想在狐狸面前显显威风，就大叫起来。狐狸一听是驴的叫声，就说："驴先生，你的叫声再响亮，也是驴的声音，变不成狮子的吼声啊！如果你不叫，说不定还能把我吓跑。"

一只眼睛的鹿

鹿瞎了一只眼睛，为了防备猎人的追捕，常常在陡岸上吃草。他想：要是猎人从陆地上来，那只好眼睛立刻就能发现；而那只坏眼睛向着大海，海上不会有什么危险。

一天，几个猎人坐船经过这里，看见鹿站在陡岸上吃草，趁鹿不注意，嗖，一箭射中了鹿。临死时，鹿说："我真蠢，时时刻刻只注意陆地方面，谁想到海上更危险。"

农夫和蛇

一个寒冷的冬天，农夫干完活回家。在路上，他看见一条快要冻僵的蛇。农夫觉得蛇很可怜，就把他揣在怀里，用身体温暖他。

过了一会儿，蛇慢慢苏醒过来。他立即张开嘴，露出尖利的牙齿，狠狠地咬了农夫一口。

农夫气愤地将蛇摔到地上，说："我真不该可怜你这个坏东西，你竟然这样报答我！"

农夫举起木棍，将蛇打死了。

农夫与鹤

　　鹳和雁常常偷田里的庄稼。这次，他们又一起去偷吃田里新种的谷子，一只鹤也跟着一起去了。

哪知，农夫设下了陷阱，用网将他们全逮住了。鹳和雁无话可说，而鹤很不服气，对农夫说："我不是鹳，也不是雁，我是一只老老实实的鹤。过去，我从没做过坏事，这次只是跟着他俩，不应该受到惩罚。"

　　农夫说："谁叫你结交了坏朋友呢？你跟他们一起犯了错，当然应该一起受到惩罚。"

害人害己

　　为了安全，驴和狐狸结伴出去找吃的。半路上，碰见一头狮子。

　　狐狸知道狮子要吃掉自己，连忙走上前去说："你要是不伤害我，我一定替你把驴弄到手。"

狮子答应了狐狸。狐狸把驴骗到深沟旁，用力一推，驴掉进深沟，摔死了。

　　狮子一看，驴已经无法逃走，就回过头来先吃掉了狐狸。

　　狐狸真是害人又害己。

鸽子后悔了

鸽子受到鹞子的伤害，就请老鹰来保护自己。

老鹰一口答应了，就在鸽巢里住下来。哪知老鹰住进来以后，一天杀死的鸽子，比鹞子一年杀害的还多，鸽子后悔极了。

报恩的老鼠

　　狮子在洞里睡觉，老鼠把他弄醒了，他气冲冲地抓住了老鼠，老鼠向他求饶说："狮大王，你放了我，将来我一定会报答你的。"

　　狮子听了，觉得好笑，不过，狮子还是将这只大胆的老鼠放了。

　　后来，狮子掉进猎人布下的陷阱，被大网网住了。老鼠听见狮子的吼声，赶忙来救。他用尖尖的牙齿把网绳咬断，狮子得救了。

　　老鼠对狮子说："我的诺言实现了。"

狐狸和白鹤

一天，狐狸邀请白鹤吃饭，他把汤倒在一只扁平的碟子里，津津有味地喝着。狐狸问白鹤："朋友，汤的味道鲜美吧？"

白鹤的长嘴喝不着汤，狐狸故意说："这汤多好喝呀，你为什么不喜欢呢？"

　　白鹤想了想，说："现在我不饿，明天我请你吃饭，好吗？"

　　第二天，狐狸来到白鹤家里，闻到一股很香的味道。食物盛在一个又窄又高的瓶子里，白鹤把长嘴伸到瓶子里吃。他问狐狸："朋友，我的饭好吃吗？"

　　狐狸努力伸长嘴，怎么也吃不到瓶子里的食物。他没有吭声，他知道，这种捉弄人的鬼把戏是他先耍的。

驴和骡子

　　主人赶着驴和骡子出门。驴和骡子背上都驮着重重的货物。

　　走到半路，驴累得受不了了，请求骡子替他驮一小部分货物，自己好喘口气，骡子不答应。

　　终于，驴一头栽倒在地，累死了。

　　主人没办法，只好把驴驮的货物都加到骡子背上，连剥下来的驴皮也放了上去。

　　骡子叹着气说："唉，如果当初答应帮驴一点儿忙，就不会落到现在的下场了。"

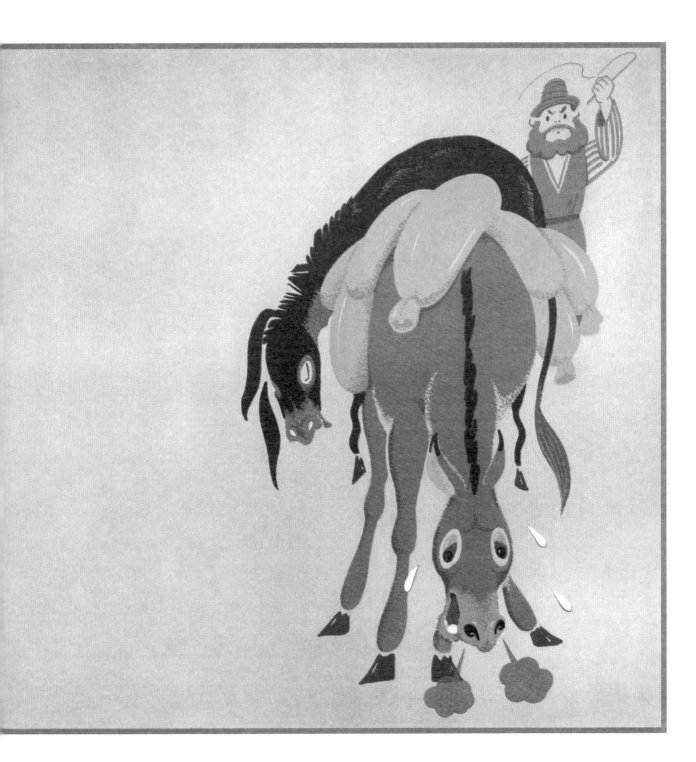

淘气的狗

　　有一只狗，常常偷偷跑到人背后，一声不响地咬人一口。

　　主人为了提醒人们注意，就在狗脖子上系了铃铛。从此，狗走到哪里，哪里就有铃声，他非常得意。

　　一只老猎狗对他说："别逞威风，你有铃铛并不代表你行为好；相反，它是告诉人们，你是一只恶狗，对你多加小心！"

狡猾的野猫

　　一棵大树上住着三户人家。老鹰住在树顶上，野猫住在树半腰的洞里，野猪住在树底部的洞里。

　　一天，野猫爬上树顶，对老鹰说："坏了，刚才我看见野猪在刨树根，他准是想把树刨倒，让咱们的孩子全摔下去，给他自己的孩子吃。你是我的好邻居，我赶紧来告诉你，要多多提防啊！"

　　老鹰听了，吓坏了，不知道怎么办才好。

　　野猫又爬到树下，假惺惺地对野猪说："糟了，昨晚我听见老鹰跟小鹰说，等你出去以后，就抓小猪喂小鹰。

说不定还会把我的小猫也抓去呢。哦，我要赶紧回去照顾我的孩子，再见！"

　　自此以后，野猫白天在洞里看家，晚上出去找吃的。老鹰和野猪都相信野猫的话，互相提防着，谁也不敢出门。

　　老鹰和野猪两家，因为没有吃的，全都饿死了。狡猾的野猫就把他们全喂了自己的孩子。

蚂蚁和鸽子

一只蚂蚁到河边喝水，不小心，脚下一滑，掉进水里。他大声呼喊："救命啊，救命！"

树上有只鸽子听见了，赶紧摘下一片树叶。树叶落在蚂蚁身边，鸽子对蚂蚁说："快爬到叶子上！"

叶子托着蚂蚁漂到岸边，蚂蚁得救了。他对鸽子说："谢谢你救了我，再见！"

过了几天，鸽子正在树上做窝。不远处的草丛里，有个人举起枪，向鸽子瞄准。蚂蚁立刻爬过去，在那人的腿上狠狠咬了一口，那人疼得哇哇叫。

鸽子听见喊声，连忙飞走了。那人也只好背起枪走开了。过了一会儿，鸽子飞回来，对蚂蚁说："谢谢你救了我！"

乌鸦和天鹅

乌鸦看见雪白的天鹅在湖里游来游去，心想：难怪天鹅那么白呢，原来他天天在湖里洗澡。如果我也一天到晚洗澡，那我身上的黑羽毛也能变成白的。

从此，乌鸦把家搬到湖边，不去找吃的，整天就在湖里洗澡。洗来洗去，羽毛没有变白，反倒饿死了。

风和太阳

风和太阳在为谁的本领大争吵。

他俩争得正起劲儿，路上走来一个人。他俩说，看谁能把那人身上的大衣脱掉，谁就赢了。

风呼呼地吼了起来，风越刮越厉害，那人将大衣越裹越紧。风用尽力气，也没办法把那人的大衣脱掉。

这时候，太阳走出来，把风刮来的乌云赶走了，努力地放射着光芒。

那人被太阳晒得浑身热烘烘，就把大衣脱掉了。太阳越晒越猛，那人感到越来越热，便把身上的衣服一件件脱下来。

　　风认输了。太阳说："我只能让他脱衣服，要让他穿上衣服，还得靠你呢！"

图书在版编目（CIP）数据

中国优秀图画书典藏系列之陈永镇/陈永镇著.—贵阳：贵州人民出版社，2009.11
ISBN 978-7-221-08749-2

Ⅰ.①中… Ⅱ.①陈… Ⅲ.①图画故事—中国—当代 Ⅳ.①I287.8

中国版本图书馆CIP数据核字（2009）第197776号

出 品 人	曹维琼	电 话	010-85805785（编辑部）
策 划	远流经典文化	网 址	www.poogoyo.com
执行策划	颜小鹂 李奇峰	印 制	北京国彩印刷有限公司（010-69599001）
责任编辑	苏 桦 谭 萌	版 次	2010年3月第一版
设计制作	曾 念	印 次	2010年7月第二次印刷
出 版	贵州出版集团公司 贵州人民出版社	成品尺寸	200mm×210mm 1/16
		印 张	10.5
地 址	贵阳市中华北路289号	定 价	42.00元（全五册）